Petit Ours Brun
joue dans la neige

Marie Aubinais • Danièle Bour

bayard jeunesse

Quand Petit Ours Brun
voit qu'il a neigé,
il sort vite
de la maison.

Quand Petit Ours Brun
marche dans la neige,
il l'entend qui crisse
sous ses pieds.

Quand Petit Ours Brun
goûte la neige,
il sent qu'elle fond
sur sa langue.

Quand Petit Ours Brun
regarde la neige,
il voit qu'elle est vraiment
toute douce.

Quand Petit Ours Brun
touche la neige,
il sent qu'elle est vraiment
toute froide.

Quand Petit Ours Brun
prend de la neige,
il la tasse
et il fait une belle boule.

Et quand il lance
une boule de neige,
il en reçoit une autre
aussitôt !

Découvre d'autres aventures de Petit Ours Brun :